Collé !

Plusieurs visiteurs ont le nez collé sur
notre site : www.soulieresediteur.com

**Du même auteur
chez le même éditeur:**

- *Un cochon sous les étoiles,* collection Ma petite vache a mal aux pattes 2000 (épuisé).
- *Alba, la femme à barbe*, collection Ma petite vache a mal aux pattes, 2011.
- *Monsieur Roboto*, collection Ma petite vache a mal aux pattes, 2013. Sélection Communication-Jeunesse. Prix d'illustration du Salon du livre de Trois-Rivières, 2014.
- *Monsieur Khaloun*, collection Ma petite vache a mal aux pattes, 2014. Sélection Communication-Jeunesse.
- *Marcello,* collection Ma petite vache a mal aux pattes, 2015.
- *Princesse Blondine*, collection Ma petite vache a mal aux pattes, 2016.
- *Fred et Putulik, l'hiver,* éditions du Soleil de minuit, 2015. Bande dessinée.

Chez d'autres éditeurs :
- *L'étrange*, éditions du Boréal, 1995. Bande dessinée.
- *Un loup pour l'homme*, éditions du Boréal, 1997. Bande dessinée.
- *L'orignal blanc*, Soleil de minuit, 2004. Roman et bande dessinée combinés.
- *Fred et Putulik, l'automne*, éditions du Soleil de minuit, 2012. Bande dessinée.

En tant qu'illustrateur :

- *La vallée des enfants*, texte d'Henriette Major, éditions du Boréal, 1999.

- *Symphonie en scie bémol*, texte de Francis Magnenot, éditions du Boréal, 2000.

- *De la neige plein les poches*, texte de Francis Magnenot, éditions du Boréal, 1999.

Collé !

**Texte et illustrations de
Jean Lacombe**

SOULIÈRES
ÉDITEUR
www.soulieresediteur.com

case postale 36563 — 598, rue Victoria
Saint-Lambert (Québec) J4P 3S8

Soulières éditeur remercie le Conseil des Arts du Canada et la
SODEC de l'aide accordée à son programme de publication et
reconnaît l'aide financière du gouvernement du Canada pour
ses activités d'édition. Soulières éditeur bénéficie également du
Programme de crédit d'impôt pour l'édition de livres – Gestion
Sodec – du gouvernement du Québec.

Canada Conseil des Arts
du Canada   Canada Council
for the Arts   *SODEC*
Québec

Dépôt légal : 2018

**Catalogage avant publication de Bibliothèque et
Archives nationales du Québec et Bibliothèque et
Archives Canada**

Lacombe, Jean
Collé !

Collection Ma petite vache a mal aux pattes ; 154
Pour enfants de 7 ans et plus.

ISBN 978-2-89607-423-5

I. Titre. II. Collection : Collection Ma petite vache a
mal aux pattes ; 154.

PS8573.A277C64 2018   jC843'.54   C2018-940079-X
PS9573.A277C64 2018

Conception graphique de la couverture :

Annie Pencrec'h

Illustration de la couverture et illustrations intérieures :
Jean Lacombe

Logo de la collection :
Caroline Merola

Pour Léo et Émile

À la récré, je me suis collé la langue au poteau.
Vous trouvez ça drôle ?
Moi, pas tellement.

Ça fait bien rire les amis. Madame Camille, elle, ne rit pas.

— Franchement, Antoine, tu t'es surpassé.

Mais essayez donc de vous expliquer avec votre langue coincée.

Puis la cloche sonne. Tandis que les autres sont rentrés, je reste planté là.

Une heure, deux heures, trois
heures passent. Misère, je me dis,
il va falloir que j'attende
le printemps !
Puis, finalement, le concierge vient
à mon secours.

Le concierge veut verser de l'eau chaude sur ma langue. Mais la dame de la cafétéria n'est pas d'accord. Elle insiste pour me décoller à la spatule.
Puis monsieur le directeur s'en mêle.
— Stop ! Surtout ne touchez à rien.

— La prudence, dit monsieur le directeur, c'est de ne rien faire.

Et aussitôt, il envoie un message à mes parents pour les prévenir que je suis retenu et que je rentrerai plus tard que prévu. Beaucoup plus tard.
— Ils comprendront, Antoine, j'en suis sûr.

J'ai passé la nuit debout à embrasser mon poteau.

Quand j'ai rouvert les yeux, monsieur Prosper, l'expert du ministère, était penché sur moi. Après un examen, il a conclu :

— Cet enfant a la langue collée à un poteau.

Bravo !

Il m'a dit que j'étais chanceux.

— Un comité du ministère va étudier ton cas.

Ah bon…

Jade m'apporte mon cahier de maths. Il y a une note de madame Camille.

Le problème no. 19 est à remettre demain. Tâche de faire un effort cette fois-ci, Antoine.

Problème no.19

Si une personne pose une brique et qu'ensuite deux autres personnes l'imitent et posent chacune une brique à leur tour, puis que quatre autres personnes posent chacune une brique, et ainsi de suite;

combien de personnes faudra-t-il pour construire un mur de 54 cm de haut et 2,20 m de long si chaque brique mesure 9 cm de haut par 20 cm de long ?

La vraie question c'est : Qui invente ces problèmes impossibles ?

À seize heures,
c'est déjà le soir.
Pas encourageant de faire des
maths dans le noir. J'ai beau
essayer, mais c'est comme se
frapper la tête à un mur de briques.

Dire que tout ça est arrivé parce que j'ai voulu attraper un flocon avec ma langue.

Il a neigé une bonne bordée. Je deviens l'attraction de la cour de récré. Même si ça n'est pas voulu.

Monsieur le directeur dit qu'à cause de moi, la cour de récré est un vrai cirque.

Il installe un paravent.

Mais ça n'est pas mieux.

Encore une nuit debout. Le froid m'engourdit. Je rêve que suis collé à mon poteau pour le reste de mes jours.

J'ai obtenu mon diplôme d'études secondaires. Je vais au bal des finissants de la polyvalente.

Au cégep de Chicoutimi,
j'ai appris à piloter des avions.
Mais je ne trouve de travail nulle
part. À part peut-être…

… sur un chantier routier.
Ça n'est pas bien excitant mais j'ai du temps pour réfléchir.

Je vois défiler tous ces gens à la mine grave qui se rendent au travail.
Si seulement chacun se donnait la peine de saluer son voisin.
Juste un petit sourire.
Mais la voilà, la solution !

Voyons voir. Si A fait un sourire à B et qu'ensuite B sourit à deux autres personnes et qu'ensuite, celles-ci sourient à quatre autres, et ainsi de suite, combien de temps faudra-t-il pour que les sourires fassent le tour du monde ?

J'invite les journalistes et tous les curieux à une grande conférence. Voici ma théorie : les sourires voyagent moins vite que la lumière ou le son, mais ils rendent plus joyeux, plus détendu et plus serein. Bref, les sourires sont aussi essentiels que la nourriture.

— Des questions ?

Il y a un silence tendu puis quelqu'un lève la main. Je reconnais madame Camille. Elle soupire :

— Tu aurais pu faire un effort, franchement, Antoine.
Elle tourne les talons et elle sort déçue.

Tous les autres font comme madame
Camille et s'en vont.
Ça n'est pas tout à fait l'accueil que
j'espérais.

Du coin de l'oeil, j'aperçois parmi les gens qui quittent la salle, une personne avec un poteau. Avant que je n'aie le temps de l'aborder, elle est déjà loin.

Une semaine plus tard, je croise le type au parc. Nous faisons connaissance lui et moi. Tu parles d'une coïncidence : nous sommes voisins !

Les jours de lessive, nous nous saluons. Nous devenons des amis.

Un jour que nous marchons ensemble, il me fait remarquer qu'un chandail est resté accroché à mon poteau. Ça fait comme un drapeau à un mât.

De partout, des gens avec leur poteau se rallient. Les citadins s'arrêtent et nous regardent bouche bée. Est-ce un défilé ? Est-ce une manifestation ? Ils n'en croient pas leurs yeux.
Moi non plus.

Quand je rouvre les yeux, j'ai les quatre fers en l'air. Miracle, je ne suis plus collé !

Misère ! Au poteau, j'ai laissé un bout de ma langue.

Non, ça n'est qu'une vieille gomme. Ouf !

Ça fait du bien de rentrer en classe
(même si je n'aurais jamais pensé
dire une chose pareille).

Seulement, à partir d'aujourd'hui, il faut rattraper le temps perdu. Et les problèmes de maths ne sont pas devenus plus faciles entretemps.

Je me décourage. Madame Camille aussi.

— Il n'y a pas trente six solutions, Antoine. Il va falloir faire de la récup.

Justement ce que je redoutais.

Je me joins au groupe en difficulté d'apprentissage. Tous ont la mine grave.

Je soupire tout bas. On ne va pas
s'ennuyer, ici.

Tiens, un sourire !

Si A sourit à B, et ainsi de suite, combien de temps faudra-t-il pour que les sourires fassent le tour du monde ?

Jean Lacombe

 Au large de l'Afrique, il y a un minuscule archipel qui s'appelle les Îles Canaries. On y parle l'espagnol. Kalima est le nom qu'on donne au vent chaud qui souffle du Sahara.

Il n'y a pas d'hivers aux Canaries.

Aux Fêtes, les enfants décorent un sapin artificiel. Pour patienter en attendant le Père Noël, ils vont sur la plage et font un bonhomme de neige en sable mouillé.

En écrivant cette histoire, j'ai eu une pensée pour les petits Canariens qui ne connaissent pas le vent glacé qui te met la goutte au nez, ni les poteaux gelés pour se coller la langue dessus. La neige qui fait crouche-crouche sous tes pas. Chausser des patins. Être le premier à marcher sur un tapis de neige. L'air vif qui ravigote. Le bout des doigts gelés. Détacher un glaçon long comme ton bras. Le givre dans les cils. Les joues brûlées par le froid quand tu fais du ski. La sensation d'être si vivant.